Ma Guaiya Yu',
si Nåna yan si Tåta

Grandma and Grandpa Love Me

Tinige' Simone Bollinger yan Dana Bollinger

Pinentan Cielo de los Reyes

TAIGUINI
BOOKS
GUÅHAN

Published by Taiguini Books
University of Guam Press
Richard Flores Taitano Micronesian Area Research Center
UOG Station
Mangilao, Guam 96923
(671) 735-2154
www.uog.edu

ISBN #978-1-935198-06-2

Layout Design by Maria Cristobal
Printed by Hafa Adai Printing
Edited by Rosa Salas Palomo and Teresita Concepcion Flores

Nina'posible este na tinige' ginen i fina'cho'cho' para u fanmatuge' lepblo siha gi i fino' endíhinos siha. Si Rosa Salas Palomo gume'hilu'i i fina'cho'cho', yan pinatlunuyi nu i Council of the Arts and Humanities Agency ya poddong gi i papa' i *Connect Me, Create Me, Promote Me* na gurupon fina'cho'cho' siha; i *Forums, Workshops, and Seminars* na Komiteha para i Mina'12 na *Festival of Pacific Arts*; yan i *Guam Visitors Bureau*.

(This publication was created as part of a workshop to develop children's literature in indigenous languages. The workshop was led by Rosa Salas Palomo, and was made possible by the Guam Council on the Arts and Humanities Agency's "Connect Me, Create Me, Promote Me" workshop series; the Forums, Workshops and Seminars Committee for the 12th Festival of Pacific Arts; and the Guam Visitors Bureau.)

12ᵀᴴ FESTIVAL OF PACIFIC ARTS
GUAM 2016

Tungo' patgon-hu i fina'pos-mu

My child, learn the passages that you have gone through

Ékungok maolek i fino' mañaina-mu

Listen to the words of your parents

Fanátahguiyan i ha'åni

The days change

På'go, pa'go-mu

Today is your today

Agupa', ti agupå'-mu.

Tomorrow is not your tomorrow

-CHamoru Proverb

(also published in the official booklet of the 1984 Fiestan Guam)

Para todu i mañaina-ta.
For all our elders.
-S.B. & D.B.

Hu tungo' na ha guaiya yu' si Tåta,
ha ayúyuda yu' måmfe' bilembines.

Hu tungo' na ha guaiya yu' si Nåna,
ha fa'nåna'gue yu' mangåmyo niyok.

Hu tungo' na ha guaiya yu' si Tåta,
humugågando yan guåhu todudiha.

Hu tungo' na ha guaiya yu' si Nåna,
pasensia mientras manánaitai yu'.

Hu tungo' na ha guaiya yu' si Tåta,
mamómokkat ham para i halomtåno'.

Hu tungo' na ha guaiya yu' si Nåna,
ha gógo'te i kannai-hu gi i Gima'Yu'os.

Hu tungo' na ha guaiya yu' si Tåta,
ha fa'nǻna'gue yu' ñumangu.

Hu tungo' na ha guaiya yu' si Nåna,
ha fa'nåna'gue yu' mamadda' titiyas månha.

Hu tungo' na ha guaiya yu' si Tåta,
ha påpatte yu' na'-ña fina'mames.

Ma tungo' na hu guaiya siha,
todu i tiempo hu tótoktok
yan chíchiku siha.

Translations:

1-2 *Hu tungo' na ha guaiya yu' si Tåta, ha ayúyuda yu' måmfe' bilembines.*
I know Grandpa loves me, he helps me pick star fruit.

3-4 *Hu tungo' na ha guaiya yu' si Nåna, ha fa'nåna'gue yu' mangåmyo niyok.*
I know Grandma loves me, she teaches me how to grate coconut.

5-6 *Hu tungo' na ha guaiya yu' si Tåta, humugågando yan guåhu todudiha.*
I know Grandpa loves me, he plays with me all day.

7-8 *Hu tungo' na ha guaiya yu' si Nåna, pasensia mientras manánaitai yu'.*
I know Grandma loves me, she is patient when I read.

9-10 *Hu tungo' na ha guaiya yu' si Tåta, mamómokkat ham para i halomtåno'.*
I know Grandpa loves me, we go on walks through the jungle.

11-12 *Hu tungo' na ha guaiya yu' si Nåna, ha gógo'te i kannai-hu gi i Gima'Yu'os.*
I know Grandma loves me, she holds my hand at church.

13-14 *Hu tungo' na ha guaiya yu' si Tåta, ha fa'nåna'gue yu' ñumangu.*
I know Grandpa loves me, he teaches me to swim.

15-16 *Hu tungo' na ha guaiya yu' si Nåna, ha fa'nåna'gue yu' mamadda' titiyas månha.*
I know Grandma loves me, she teaches me to make coconut titiyas.

17-18 *Hu tungo' na ha guaiya yu' si Tåta, ha påpatte yu' na'-ña fina'mames.*
I know Grandpa loves me, he always shares his dessert with me.

19-20 *Ma tungo' na hu guaiya siha, todu i tiempo hu tótoktok yan chíchiku siha.*
Grandma and Grandpa know I love them, I always hug and kiss them.

Pronunciation Tips

å as in 'f**a**ther' N**å**na (nah-na)

a as in '**a**pple' M**a**mes (ma-mes)

i as in '**e**ven' t**i**t**i**yas (tee-tee-dsas)

ñ as in 'o**n**ion' na'-**ñ**a (na'-ñya or na'-nia)

ng as in 'si**ng**' ñuma**ng**u (ñew-mang-oo)

y as in 'pa**ds**' ni**y**ok (knee-dsook)

The '**o**' in 'tung**o**' sounds like '**oo**' (toong-oo)

Note: Stress marks are used above letters throughout the book to signify the loudest syllable in words that do not follow general pronunciation rules.

Un dångkolo na si Yu'os ma'åse para:

Si Marie "Tia" Perez; si Jan yan si Julie Bollinger; si Greg yan si Ellie Nickerson; si Frank yan si Rose Cruz; si Darrick Bollinger; si Anthony Cruz; si Rosa Salas Palomo; si Teresita C. Flores; si Rufina F. Mendiola; si Ann T. Rivera; si Rlene Steffy; si Kristina French; si Sherry Barcinas; si Jackie Balbas; i *Guam Visitors Bureau*; yan i *Guam Council on the Arts and Humanities Agency* (CAHA).

Put i Titige' yan Yiyinga'

Simone Efigenia Perez Bollinger, familian Boño, is a writer and educator whose curiosity has taken her around the world. Now back home on Guam, she enjoys reading and swimming with her two-year old daughter, Ena Ramone.

Dana Bollinger has embarked on her first journey of writing a children's book and is fostering the joy of reading in CHamoru to her two children, Amaya and Andrew. She is a teacher and resides in the village of Barrigada.

For 20 years, Cielo de los Reyes has been teaching students at FB Leon Guerrero Middle School how to draw, paint, and grow an appreciation for art. She enjoys eco-travel, especially to the Philippines, and is a fan of the ancient craft of cloth-weaving. She serves as the President of the Agat Guamerica Lions Club, and has three children.

Taimanu tungo'-mu na guinaiya hao as Nåna yan Tåta?

How do you know Grandma and Grandpa love you?